www.literaturasm.com

Proyecto editorial: María Castillo
Dirección editorial: Elsa Aguiar
Coordinación editorial: Teresa Tellechea
Diseño de cubierta: Jonás Gutiérrez

© del texto: Carmen Gil, 2012
© de las ilustraciones: Gusti, 2012
© Ediciones SM, 2012
    Impresores, 2
    Urbanización Prado del Espino
    28660 Boadilla del Monte (Madrid)
    www.grupo–sm.com

Atención al Cliente
Tel.: 902 121 323
Fax: 902 241 222
clientes@grupo–sm.com

ISBN: 978–84–675–5366–6
Depósito legal: M–46.095–2011
Impreso en la UE / Printed in EU

< Versos de
CUENTO >

Carmen Gil • Gusti

sm

EL REINO DE FANTASÍA

El Reino de Fantasía
está lleno de alegría:
encuentras por todos lados
personajes encantados.

Hay hadas que, en el helecho,
no hechizan nada al derecho.
Brujas con ropa andrajosa
que tienen alergia al rosa.

Duendes de vivos colores
que duermen sobre las flores.
Vampiros con tirria al ajo
que vuelan cabeza abajo.

Junto a estos seres geniales
hay diversión a raudales.
Entra en el libro, ¡deprisa!,
y te morirás de risa.

EL HADA HADADA

Pone el hadita,
a la de tres,
con su varita,
todo al revés.

Sin darse cuenta,
convierte un guante,
o una pimienta,
en elefante.

Con su despiste,
transformó el lunes
granos de alpiste
en cuatro atunes.

El hada Hadada,
sin duda alguna,
está alelada:
¡siempre en la Luna!

EL MONSTRUO MARINO

Soy cocinero y cocino
en un mesón submarino,
que es uno de los mejores:
¡tiene cinco tenedores!

Y es que con mis ocho patas
abro a la vez ocho latas,
troceo ocho cebolletas
y preparo ocho recetas.

Hago postres de ocho en ocho:
siete tartas y un bizcocho,
y horneo bajo la Luna
nueve pizzas menos una.

A esta taberna simpática
va toda la fauna acuática,
del chanquete al tiburón.
¡Qué estupendo es mi mesón!

EL DUENDE SIMÓN

El duende Simón
es muy juguetón
y siempre se esconde.
¿Alguien sabe dónde?

Desde el mes de enero,
duerme en el salero.
A menudo, el pillo
viaja en tu bolsillo.

Si mamá lo deja,
se sube a tu oreja
y se despereza
sobre tu cabeza.

Duende pelitieso,
requetetravieso,
de rojos mofletes,
di, ¿dónde te metes?

MISS PLANETA

La bruja de la montaña
lleva una capa muy tosca,
chaleco de ala de mosca,
traje de tela de araña...

Un gorro la mar de mono
con mil plumas de ave oscura
—diseño de alta costura—
y un bolso del mismo tono.

Un chal tejido con hebras
de algas negras del pantano,
broche de lagarto enano
y peluca de culebras.

Esta bruja tan coqueta
se pone perfume de ajo,
se mira de arriba abajo
y se siente Miss Planeta.

EL BAILE DE LAS HADAS

Bailan las hadas,
entusiasmadas,
moviendo mucho
el cucurucho.

El hada buena
se desmelena.
Salta y se agita
con su varita.

El hada rosa
danza y se posa
—haciendo el pino—
junto al camino.

El hada azul
menea el tul.
De hacer piruetas,
¡tiene agujetas!

EL VAMPIRO ENAMORADO

El vampiro Andrajo
vuela bocabajo.
Desde el mes pasado,
está enamorado.

Andrajo suspira
por una vampira
de largos colmillos.
¡Vive a dos castillos!

Un día la invita
a sangre fresquita
y se dan un beso
detrás del frambueso.

LA ANGINA DE MARINA

La sirenita Marina,
pecosa y de pelo rojo,
tiene un ataque de angina
por estar siempre en remojo.

Le da su amigo el cangrejo,
para cada vez que salga,
un magnífico consejo:
ponerse bufanda de alga.

El pulpo, que vive al lado,
con ocho patas le teje
un mantón verde y morado.
¡Menudo tejemaneje!

LA DUENDE CATA

Esta duende es Cata.
Quiere ser pirata
y, con barco y loro,
buscar un tesoro.

¡Se muere de ganas!
Pero sus hermanas,
que son más de cien,
quieren ir también.

Una vez a bordo,
el lío es muy gordo.
Dentro de la nave,
ni un alfiler cabe.

Se queja, risueña,
su hermana pequeña:
—¡Parecemos, Cata,
sardinas en lata!

LA SÁBANA DEL FANTASMA

El fantasma de Su Alteza
no tiene, el pobre, consuelo:
con la sábana tropieza
y acaba siempre en el suelo.

Se cae por el pasillo,
las almenas, el salón...
No hay sitio en todo el castillo
donde no dé un tropezón.

Su primo, un día de truenos,
le da una sábana nueva
de cinco o seis tallas menos,
y el fantasma se la prueba.

Ahora vaga, salta, corre
y hasta aúlla en La menor.
A veces baila en la torre.
¡Nadie lo pasa mejor!

EL HADA CLETA

¿Dónde duerme el hada Cleta?
A la sombra de una seta.

¿Qué la arrulla con su nana?
El cantar de alguna rana.

¿Cuál es su blando colchón?
Una nube de algodón.

¿Quién con cariño la acuna?
Un rayo de luz de luna.

¿Y qué sueña cada noche?
¡Que hace magia a troche y moche!

EL HOMBRE DE LAS NIEVES FRIOLERO

Con abrigo de franela,
se ve al Yeti por el hielo.
No le gusta el Polo un pelo
porque hace un frío que pela.

¡Vaya monstruo tan friolero!
Hasta el gorro le tirita.
Y es que alcanzan donde habita
los cincuenta bajo cero.

Está siempre helado y pálido.
Toma una gran decisión:
coger el primer avión
y emigrar a un sitio cálido.

Tendido al sol todo el día,
ahora se lo pasa pipa.
No tiembla ni se constipa
y da saltos de alegría.

LA DRAGONA COQUETA

Va la dragona
siempre muy mona,
con un equipo
que quita el hipo.

Lleva una estola.
Luce en la cola
lazo gigante
muy elegante.

Con traje rosa,
está preciosa.
Usa pendientes
poco corrientes.

¡Dos regaderas!
También pulseras.
hechas con flores
de mil colores.

Requeteguapa,
estrena capa
de color guinda
¡y va tan linda!

EL HADO PADRINO

Dicen que el hado padrino
no se está quieto un segundo,
viajando hasta el quinto pino,
de un lado al otro del mundo.

Y es que el hado, en aeroplano,
empuñando su varita,
acude a echar una mano
a aquel que lo necesita.

Llama susurrando al hado
cuando precises ayuda
y vendrá pronto a tu lado.
¡No tengo ninguna duda!

MENÚ FANTÁSTICO

De primero, lo mejor:
arco iris al vapor
con salsa de nubes rosas;
del cielo, las más sabrosas.

El plato fuerte del día,
sonrisa al baño María
con guarnición muy picante:
un rayo de sol brillante.

Como postre, beso helado,
con una galleta al lado.
Y para los más glotones,
tres bombones de achuchones.

EL DUENDE DEL ARBUSTO

Vive el duende a gusto
dentro de un arbusto.

Juega a la pelota
con una bellota,
y son sus cometas
pétalos violetas.

Cuando se le antoja,
duerme en una hoja.
Usa como silla
una campanilla.

Y más de una vez,
dentro de una nuez,
cruza la laguna
al salir la Luna.

EL CORRO DE LAS BRUJAS

Bailan las brujas en corro
alrededor de un tocón,
sin que se les caiga el gorro,
al son de alguna canción.
En las noches de verano,
juegan durante una hora
a pasar de mano en mano
una escoba voladora.
¿Quién pierde? La bruja boba
que, cuando pare el cantar,
esté agarrando la escoba.
¿Y después? ¡Vuelta a empezar!

EL SIRENO

El sireno hace cabriolas
subido sobre las olas.
Al ritmo de su vaivén,
lo pasa requetebién.

Sube y baja muy deprisa,
¡le da un ataque de risa!
Se aleja y sale a su encuentro,
¡siente cosquillas por dentro!

Se hace un lío, se tropieza
y se tira de cabeza,
pero disfruta a rabiar.
¡Qué divertido es el mar!

NANA PARA DORMIR A UN VAMPIRO

Duerme, mi cielo,
que yo te velo.
Duerme, vampiro,
que yo te miro.

Duerme de día,
criatura mía,
sin inquietud,
en tu ataúd.

Mantente lejos
de los espejos.
También del ajo,
rorro pispajo.

Toma, y reposa,
sangre sabrosa
en biberón,
bebé glotón.

Duerme, mi cielo,
que yo te velo.
Duerme, vampiro,
que yo te miro.

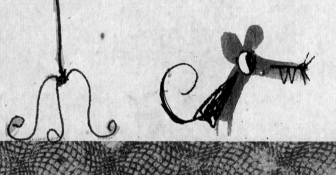

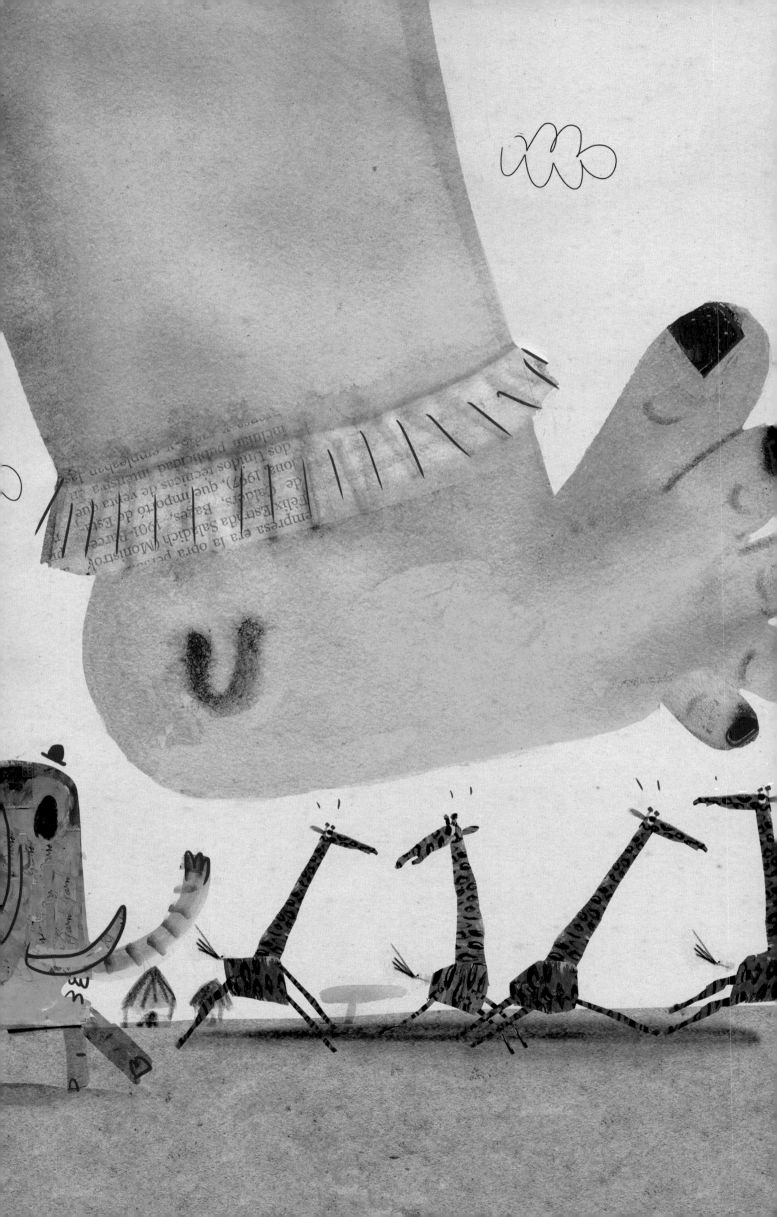

LOS SALTOS DE LA GIGANTA

La giganta Tana
vive en la sabana.
Se lo pasa bomba
saltando a la comba.

Mas cuando da un salto,
¡vaya sobresalto!,
causa un terremoto
y mucho alboroto.

Da al pobre elefante
un susto importante,
y hay cuatro jirafas
que pierden las gafas.
La mona, en pijama,
se cae de su rama,
y hasta el rey León
se da un coscorrón.

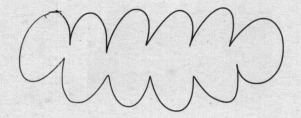

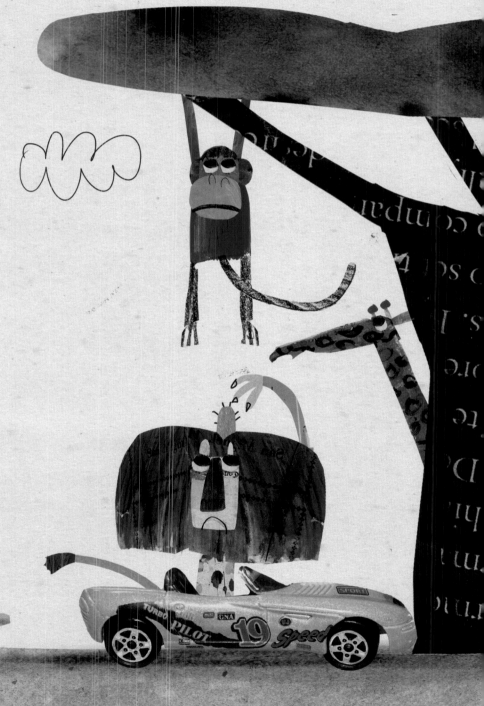

EL DRAGÓN COCINERO

¡Vaya dragón cocinero!
Cocina superfeliz
con llamas de su nariz.
¡El mejor del mundo entero!

Lo mismo te hace un filete
que una pizza Margarita
—que sabe a gloria bendita—.
¡Y todo en un periquete!

A su casa en Los Robledos
vienen de muchos planetas.
Dicen que están sus recetas
para chuparse los dedos.

LA ORQUESTA NOCTURNA

Luna lunada,
que a la alborada
se va y se esconde
yo no sé dónde,
¿oyes tocar
al brujo Omar
con su trompeta?
¡Qué tatareta!

Luna redonda,
monda y lironda,
que sube al cielo
su blanco velo,
¿toca el vampiro
su tiroriro
con clarinete?
¡Qué sonsonete!

Luna lunera
de primavera,
que nada sola
sobre una ola.
¿Y la sirena?
¿Con luna llena
toca al tuntún?
¡Qué chinchimpún!

EL DUENDE DEL JARDÍN

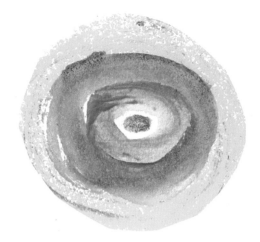

Vivo al lado de una seta.
Soy el duende del jardín.
No tengo monopatín
ni coche ni bicicleta.

En un saltamontes viajo
más allá del quinto pino,
y mi bocina es el trino
de un mirlo la mar de majo.

Mas, si en alguna ocasión
quiero atravesar el lago,
¿se os ocurre cómo lo hago?
¡En la aleta de un salmón!

EL FANTASMA POLILLO

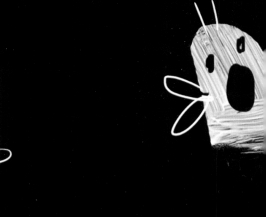

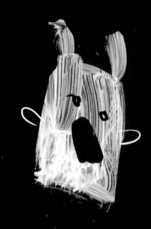

"¡Aaaaaaaaaah!",
aúlla el fantasma
de aquí para allá.
¡Aullar le entusiasma!

"¡Uuuuuuuuuuh!"
Y cuando se calla,
se oye su frufrú
vaya donde vaya.

"¡Oooooooooh!"
Fantasma Polillo,
no hay quien duerma, no,
en este castillo.

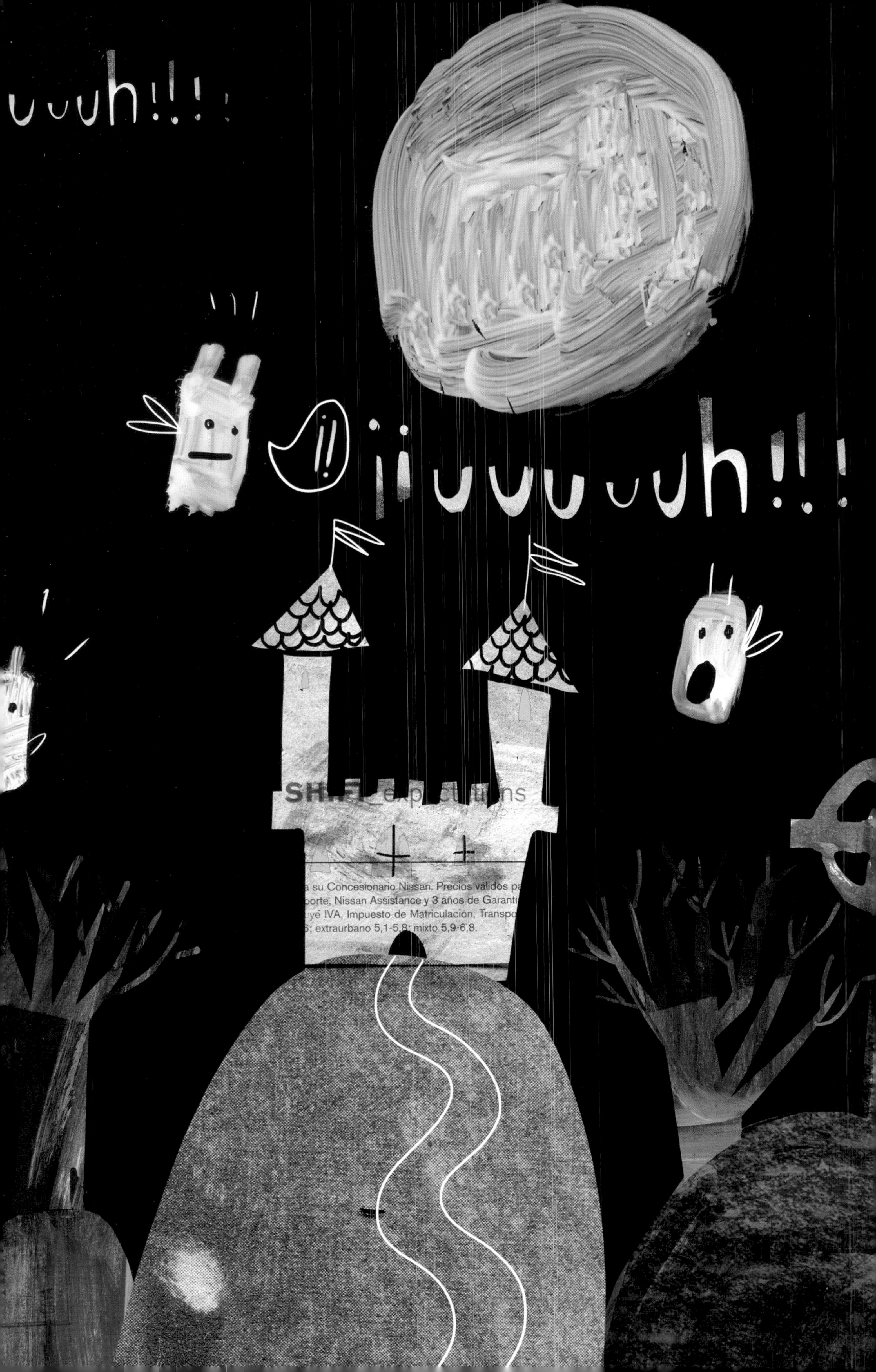
uuuh!!!
¡¡
¡¡uuuuuuh!!!

PALABRAS MÁGICAS
PARA BRUJAS Y HADAS

Que a la de una, dos y tres,
anden todos del revés,
que hasta el perro del vecino
corra y ladre haciendo el pino.

Que a la de tres, dos y una,
brille en el cielo la Luna
y convierta los arbustos
en helados de tres gustos.

Que en cuanto yo diga ya,
el bolso de mi mamá
se llene de chucherías.
¡Que pase todos los días!

Que con mi magia efectiva,
llueva mucho y hacia arriba.
Que vayamos más de un mes
con paraguas en los pies.

LA BRUJA PEZ

Érase una vez
una bruja pez.

Vivía en el mar
junto a un calamar
y dos langostinos,
que eran sus vecinos.

Con sus bebedizos
de púas de erizos,
corales y espuma,
curaba el reúma.

Hasta los cangrejos
venían de lejos.

Y cualquier criatura
que, en busca de cura,
nadara a su cueva,
¡se iba como nueva!

ADIVINANZAS

Palito nada corriente
que transforma —qué curioso—
al príncipe más valiente
en un sapo verrugoso.

(varita mágica)

Es una bebida roja.
Cada vez que está sediento,
a Drácula se le antoja.
¡Se la bebe en un momento!

(sangre)

Es un medio de transporte,
no es coche, barco ni avión.
Lleva a las brujas al norte
y les barre la mansión.

(escoba)

Ponte a pensar sin pereza.
Las hadas, rosa o azul,
lo llevan en la cabeza
con un adorno de tul.

(gorro de cono)

EL DUENDE DE LA BIBLIOTECA

Qué a gusto se encuentra el duende
entre libros... ¡Más de cien!
Disfruta mucho y aprende:
lo pasa requetebién.

Tiene en uno una princesa
un enfado tremebundo,
porque a un sapo no lo besa
ella por nada del mundo.

Conoce en otro a un pirata,
novato con el timón,
que a veces mete la pata:
navega sin ton ni son.

O al caballero Fermín.
Perdió el caballo en enero.
Ahora va en monopatín
y siempre llega el primero.

El duende en la biblio ha hallado
el Reino de Fantasía,
y está tan entusiasmado...
¡Piensa volver cada día!

FIESTA EN FANTASÍA

Hay fiesta en Fantasía
junto al barranco.
Van todos ese día
de punta en blanco.

Lleva el ogro chistera
y va el dragón
con blusa de chorrera
color marrón.

Van vestidas las hadas
de lentejuelas,
con prendas heredadas
de sus abuelas.

¡Qué algarabía!
Todos de punta en blanco
en Fantasía.

ÍNDICE